# PAPAYE LE panda

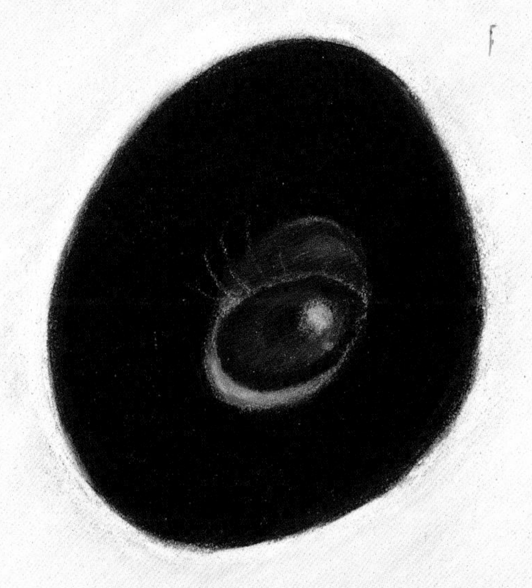

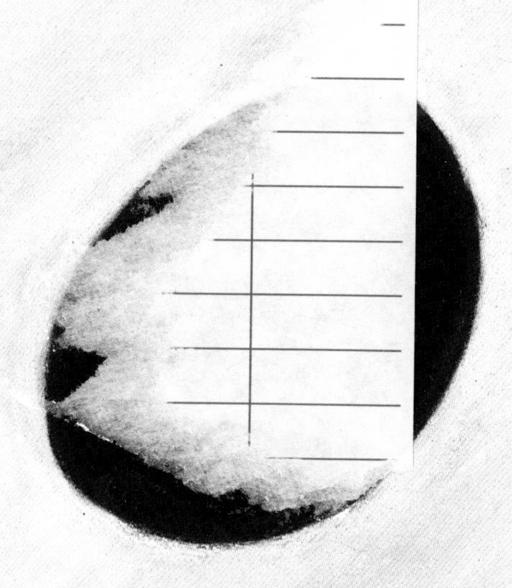

**Données de catalogage avant publication (Canada)**

Papineau, Lucie
Papaye le panda
Pour enfants.

ISBN 2-89512-052-8 (br.)
ISBN 2-89512-112-5 (rel.)

I. Sarrazin, Marisol, 1965- . II. Titre.

PS8581.A665P35 1999 jC843'.54 C99-940464-4
PS9581.A665P35 1999
PZ23.P36Pa 1999



Directrice de collection : Lucie Papineau
Direction artistique et graphisme :
Primeau & Barey

Dépôts légaux : 3e trimestre 1999
Bibliothèque nationale du Québec
Bibliothèque nationale du Canada

**Dominique et compagnie**
Une division des éditions Héritage inc.
300, rue Arran
Saint-Lambert (Québec) J4R 1K5
Téléphone : (514) 875-0327
Télécopieur : (450) 672-5448
Courriel : info@editionsheritage.com

Imprimé au Canada
10 9 8 7 6 5 4 3

*Pour mes deux petits soleils,*
*Anoushka et Maëlle*
Marisol

*Pour Dominique, Jean-Charles*
*et leurs drôles d'idées*
Papaye

The Canada Council for the Arts since 1957 | Le Conseil des Arts du Canada depuis 1957

SODEC
Société de développement des entreprises culturelles
Québec

CONSEIL DES ARTS ET DES LETTRES DU QUÉBEC

Nous remercions le Conseil des Arts du Canada de l'aide accordée à notre programme de publication, ainsi que la SODEC et le ministère du Patrimoine canadien.

Marisol Sarrazin remercie le Conseil des Arts et des Lettres du Québec qui, par l'octroi d'une bourse, a contribué à la réalisation de cet ouvrage.

Texte : Lucie Papineau
Illustrations : Marisol Sarrazin

# PAPAYE LE panda

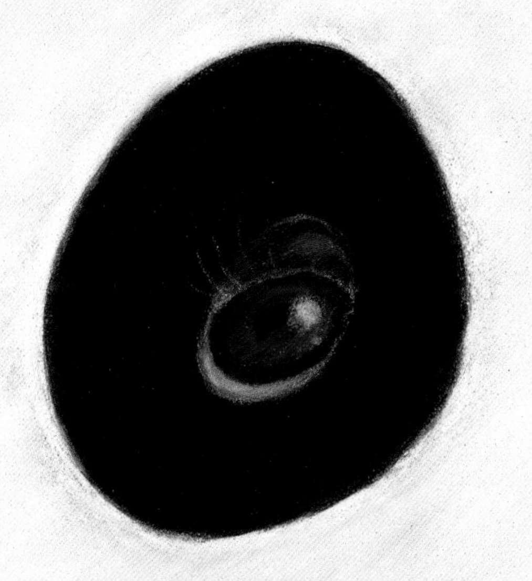

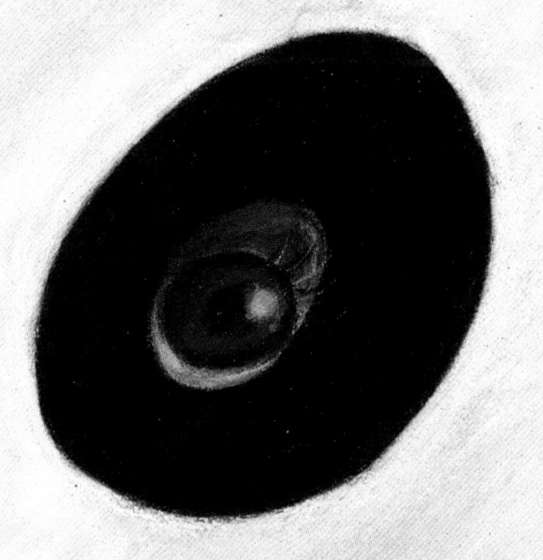

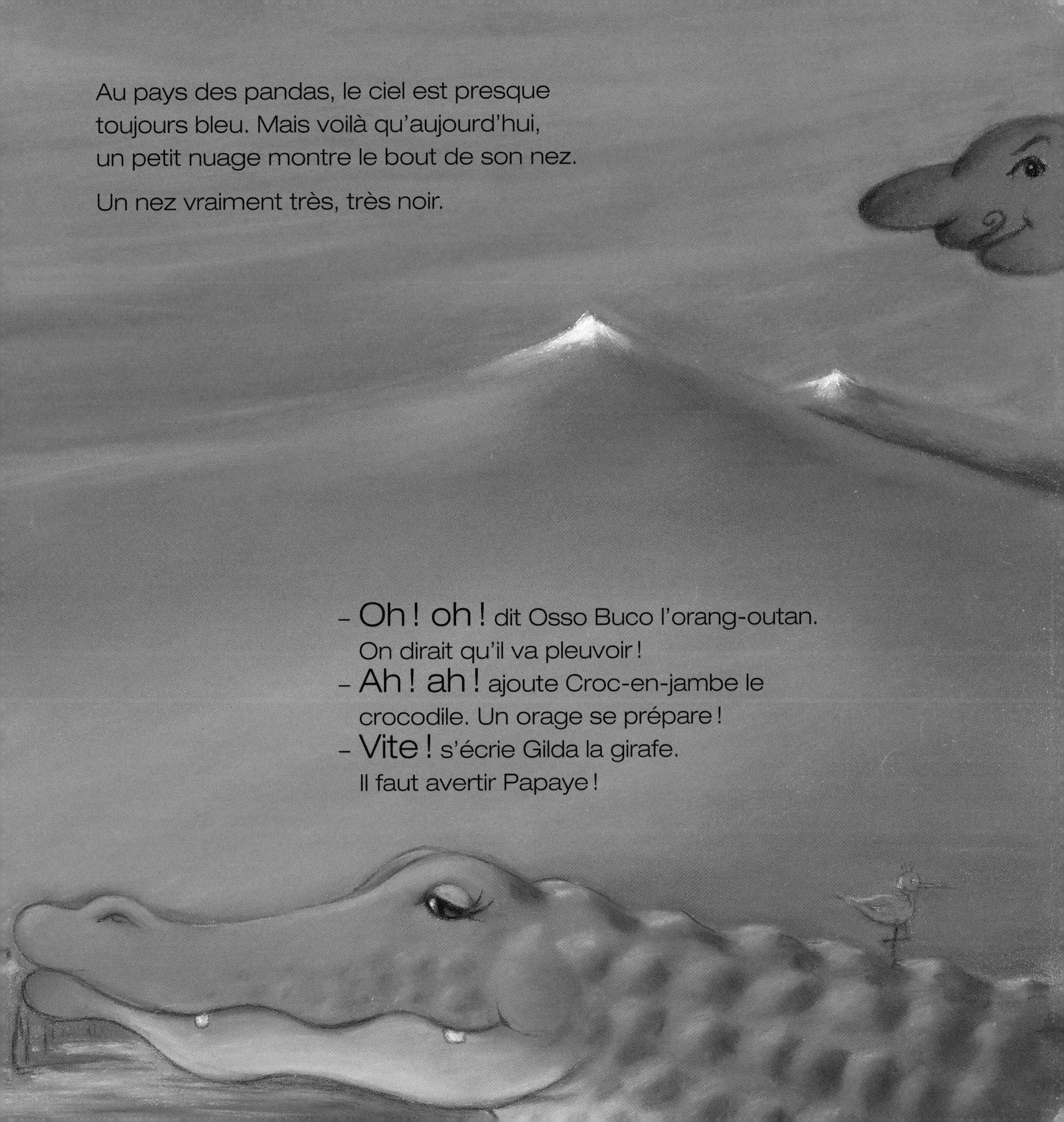

Au pays des pandas, le ciel est presque toujours bleu. Mais voilà qu'aujourd'hui, un petit nuage montre le bout de son nez.

Un nez vraiment très, très noir.

– Oh ! oh ! dit Osso Buco l'orang-outan. On dirait qu'il va pleuvoir !
– Ah ! ah ! ajoute Croc-en-jambe le crocodile. Un orage se prépare !
– Vite ! s'écrie Gilda la girafe. Il faut avertir Papaye !

Dans la forêt de bambous, loin de ses trois amis, Papaye le panda chantonne « pom pom pom ». Il ne voit pas le petit nuage qui grandit et grandit encore, à la vitesse du vent.

Comme d'habitude il est dans la lune, et comme d'habitude il a oublié ses lunettes…

– Plic ! fait la première goutte
en tombant sur une roche plate.

– Ploc ! dit la deuxième goutte
en tombant sur une pierre ronde.

– Plouc ! ajoute la troisième
en touchant la tête de Papaye.

– Au secours ! crie Papaye en roulant des yeux effarés.

Je rapetisssssse !

Aussitôt dit, aussitôt fait. Le panda géant a bientôt la taille d'un bébé souris. C'est ce qui arrive quand on est allergique aux gouttes de pluie…

De toutes ses petites forces, Papaye court vers sa maison. « Bientôt je serai au sec, se dit-il pour se réconforter, et tout ira beaucoup mieux. » Au même moment, les branches se mettent à craquer, la terre se met à trembler et une énorme voix se met à crier.

– PAPAYE !
C'est Osso Buco l'orang-outan
qui cherche son ami.
– Je suis ici, hurle Papaye de sa voix
minuscule. Sous la violette !

Osso Buco n'a rien entendu, rien qu'un ridicule couinement de souris. Il poursuit donc sa course folle, sans savoir qu'elle le mène tout droit vers… la violette du petit panda !

Le pauvre Papaye bondit à droite, rebondit à gauche, se roule en boule et puis déboule. La tête en haut, la tête en bas, il dévale la colline, de haut en bas.

Et plouf ! il tombe dans la rivière. Ballotté par les vagues, cerné par les algues, il attrape la première chose qui passe à sa portée : la queue de Cannelloni le caneton ravi.

« Ouf, se dit-il, je suis sauvé ! »
Mais un cri retentissant couvre le crépitement de la pluie.

– PAPAYE ! PAPAYE !

C'est Croc-en-jambe le crocodile qui ouvre grand la bouche pour appeler son ami. Ah non ! Papaye et le caneton sont entraînés par le courant... Ils se dirigent tout droit vers Croc-en-jambe et ses 35 dents !

Heureusement, Cannelloni n'a pas oublié ses lunettes, lui. Il bat désespérément des ailes, vite, encore plus vite... Et il s'envole enfin, sous le nez du crocodile qui ne se doute de rien !

« Bravo ! se dit Papaye en survolant la jungle. Me voilà hors de danger ! »

Malgré les grondements de l'orage, malgré les gifles du vent, le petit panda tient bon. Il s'agrippe du mieux qu'il peut à la queue du caneton.

C'est alors qu'un éclair déchire le ciel et qu'un formidable cri retentit comme un coup de tonnerre :

– PAPAYE ! PAPAYE ! PAPAYE !

Le panda reconnaît aussitôt la voix de sa grande amie, Gilda la girafe. Mais le caneton, affolé, change brusquement de direction. Papaye est ballotté dans tous les sens, il n'en peut plus, il va tomber…

Le petit panda tourbillonne comme une feuille d'automne, emporté par le vent. Et paf ! Il échoue entre ciel et terre, directement sur la tête de Gilda.

« Bon, se dit Papaye, un peu secoué. Tout va bien se passer, désormais. »

Gilda, elle, n'a qu'une idée : se débarrasser de la bestiole qui lui chatouille les oreilles. Elle saute à pieds joints, fait des cabrioles, s'ébroue comme un toutou... Tant et si bien que Papaye perd l'équilibre, tombe sur les fesses et glisse comme un champion de luge !

Du sommet de la tête en passant par le cou vertigineux, il dévale le dos montagneux, emprunte la dangereuse passerelle de la queue… pour se retrouver enfin, sain et sauf, sur un vulgaire tas de sable mouillé.

Gilda, délivrée de la gênante bestiole, s'enfuit sans se retourner.

Cette fois, Papaye ne trouve rien à se dire. Encerclé par les rideaux de pluie, il est complètement déboussolé.

– Bonjour, drôle de souriceau, dit Tartelette la tortue. Beau temps pour prendre une douche !

– Je ne suis pas un souriceau ! s'exclame Papaye. Je suis un panda géant.

– Un panda... géant ? demande la tortue avant d'éclater de rire.

– Mais oui ! Ne vois-tu pas que je suis terriblement allergique à l'eau de pluie ? Si je continue à rapetisser, je vais disparaître complètement !

Tartelette se gratte la tête, fronce les sourcils puis, finalement, sourit.

– Tiens, dit-elle en enlevant sa carapace, mets-toi à l'abri dans ma maison. Je dois sortir prendre une douche, de toute façon.

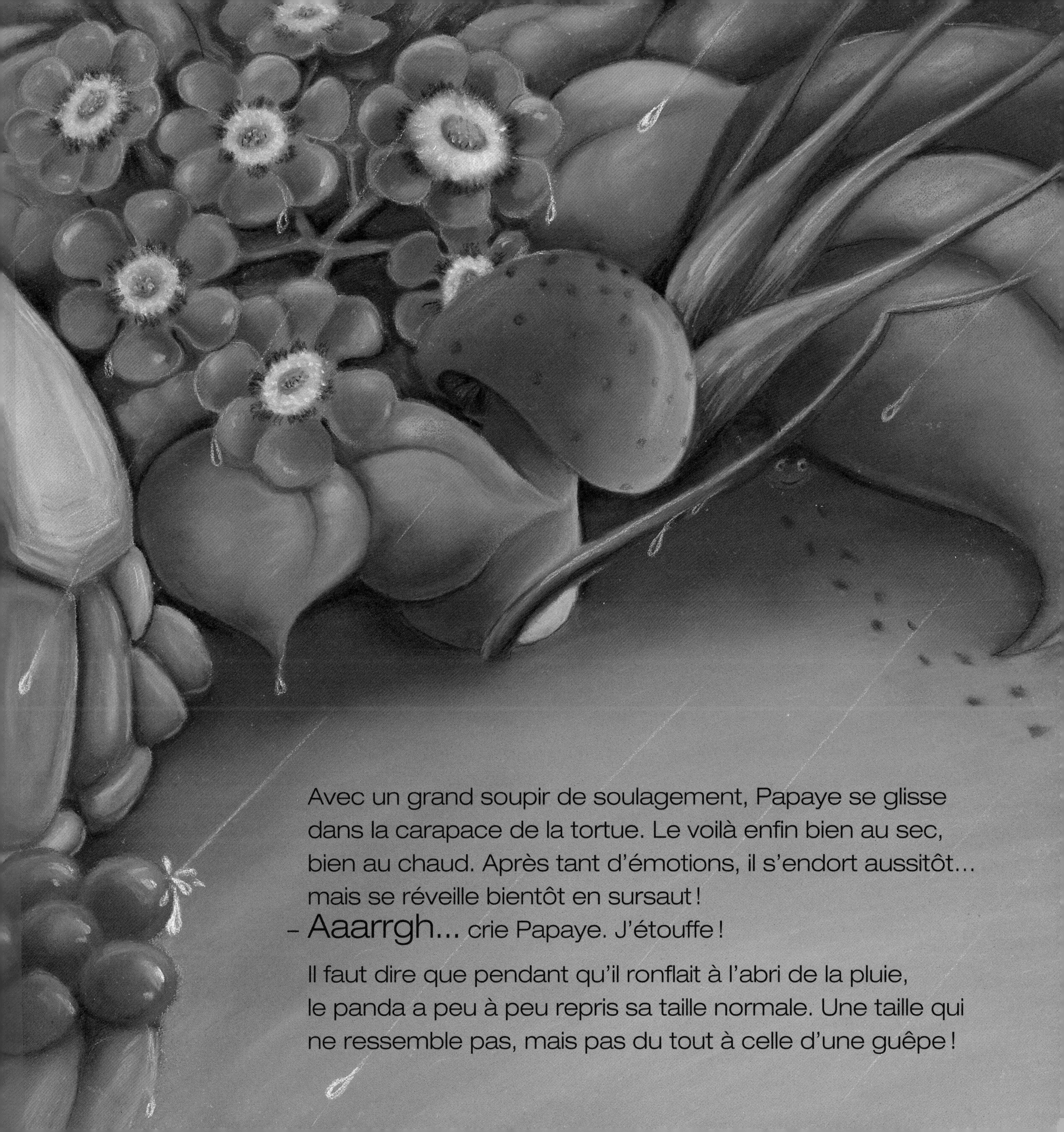

Avec un grand soupir de soulagement, Papaye se glisse dans la carapace de la tortue. Le voilà enfin bien au sec, bien au chaud. Après tant d'émotions, il s'endort aussitôt… mais se réveille bientôt en sursaut !

– Aaarrgh… crie Papaye. J'étouffe !

Il faut dire que pendant qu'il ronflait à l'abri de la pluie, le panda a peu à peu repris sa taille normale. Une taille qui ne ressemble pas, mais pas du tout à celle d'une guêpe !

– Papaye, c'est toi ! s'exclament Gilda, Croc-en-jambe et Osso Buco. Nous t'avons enfin retrouvé…

Le pauvre panda ne peut plus respirer, encore moins parler. Il pointe du doigt le ciel bleu, où le soleil luit maintenant de tous ses feux.

– Super, dit Osso Buco. Il ne pleut même plus !

– Excellent, ajoute Croc-en-jambe. Tu as presque retrouvé ta taille !

– Magnifique, renchérit Gilda. Ton nouveau gilet te va très très bien…

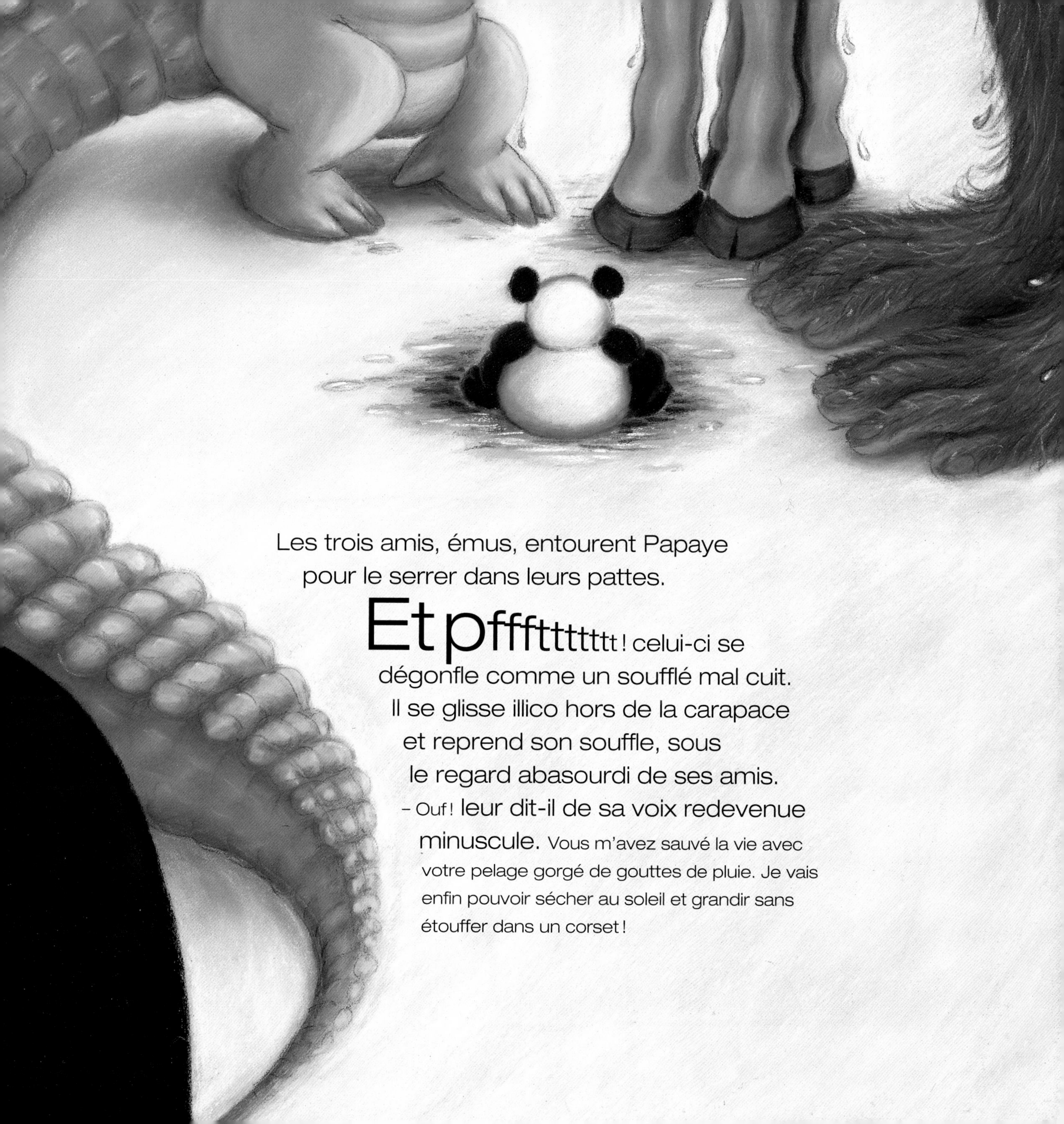

Les trois amis, émus, entourent Papaye pour le serrer dans leurs pattes.

Et pffftttttt ! celui-ci se dégonfle comme un soufflé mal cuit. Il se glisse illico hors de la carapace et reprend son souffle, sous le regard abasourdi de ses amis.

– Ouf ! leur dit-il de sa voix redevenue minuscule. Vous m'avez sauvé la vie avec votre pelage gorgé de gouttes de pluie. Je vais enfin pouvoir sécher au soleil et grandir sans étouffer dans un corset !

Maintenant que tout est rentré dans l'ordre, Papaye n'a plus qu'une envie : inviter tous ses amis à un grand banquet de pousses de bambou.

Espérons que le soleil sera de la partie !